徐萃、姬炤华 是一对不断思考的人，恰好学习了绘画，可以用画笔记录下自己的思想。他们从1997年开始为孩子创作童话和插画，其中童话《青蛙与天鹅》获2006年冰心文学奖，插画作品《童话庄子》获"台湾读书人2005年最佳童书"，并代表台湾参加意大利波隆那儿童书展。同时，他们还为大人创作漫画。哲思漫画多次在中国、比利时、德国、葡萄牙、波黑、罗马尼亚、土耳其、伊朗、日本、韩国等地展出、获奖以及被博物馆等机构收藏。

创作之余，他们也是一对勤奋的图画书推广人。画家和作家的双重身份赋予了他们独特的视角，他们非常希望通过自己的努力，和更多的孩子和爸爸妈妈分享图画书的美好。

《天啊！错啦！》是他们的第一本图画书，在美国和加拿大首次出版以来，获得了读者和专业人士的好评。当然，他们更期待你也会喜欢上这本书。

天啊！错啦！ 文·图／徐萃 姬炤华

责任编辑	林 云 杨 华
特约编辑	侯新鹏
美术编辑	胡小梅
出版发行	二十一世纪出版社（江西省南昌市子安路75号　330009）
	www.21cccc.com　cc21@163.net
出 版 人	张秋林
经　　销	全国各地书店
印　　刷	北京尚唐印刷包装有限公司
版　　次	2011年1月第1版　2011年1月第1次印刷
印　　数	1～8000册
开　　本	889mm×1194mm　1/16
印　　张	2
书　　号	ISBN 978-7-5391-6272-0
定　　价	20.00元

赣版权登字-04-2010-313

天啊！错啦！

文·图/徐 萃 姬炤华

二十一世纪出版社
21st Century Publishing House
全国百佳出版社

哦！一顶帽子。

错啦，这不是帽子。

ze mao ze zhen piao liang

wo jue de tai da la

"我觉得太大了。"

"这帽子真漂亮！"

嘿，错啦！这不是帽子。

Hei cuo la ze bu shi mao zi

听到了吗？错啦！这不是帽子。

ze mao zi zhen he shi

ze mao zi zhen kéo bu Qi

天啊！错啦！这不是帽子！

Tien ah! cuo la! ze bu shi mao zi

Tien ah! Ni zai gang sten mo?
Ni gang ma ba ku cha
dai zai tou shan?

"天啊！你在干什么？
你干吗把裤衩
戴在头上？"

ze bu shi mao zi

"这不是帽子，
这是裤衩！"
ze shi ku cha

"这是一顶帽子！"

ze shi yi ding mao zi

嗯！没错！这是裤衩！

en mei cuo! ze shi ku cha!

驴子说得对！

没错！就这么穿！

这就是裤衩！

别理他们！这就是裤衩！

"这是顶最棒的帽子！"